中國書店藏珍貴古籍叢刊

韓文公文鈔

唐·韓愈 撰　明·茅坤 輯評

中國書店

據中國書店藏明萬曆刊朱墨套印本影印原書版框高二十一厘米寬十四點六厘米

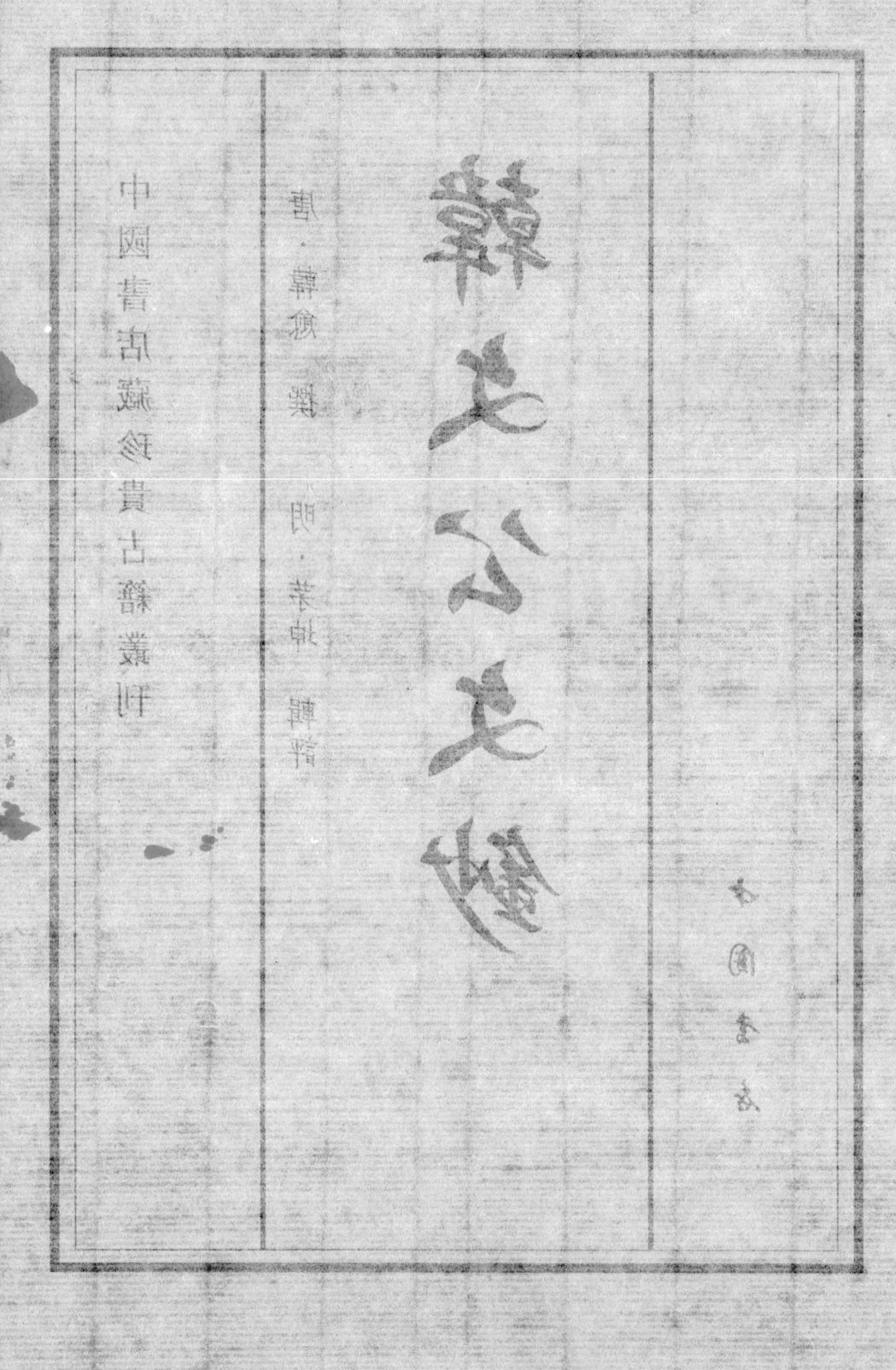

韓文公文鈔引

魏晉以後宋齊梁陳迄於隋唐之際孔子六藝之遺不絕如帶矣昌黎韓退之崛起德憲之間泝孟軻賈誼晁錯董仲舒司馬遷劉向楊雄及班椽父子之旨而揣摩之於是時譽者半

毀者半獨柳宗元李翺皇甫湜孟郊二三輩相與游從深知而篤好之耳何則於舉世龤賵中而欲獨以黃鍾大呂鑑鎘其間甚矣其難也又三百年而歐陽公修蘇公軾相繼出始表章之而天下之文復趨於古嗟乎隋

唐之文其患在靡而弱而退之之出而振之固已難矣迺若近代之文其患在勤而贋有志者苟欲出而振之而其為力也不尤戞戞乎其難矣哉要之必本乎道而按古六藝者之遺斯之謂古作者之旨云爾予故於漢

西京而下八代之衰不及一人也首揭昌黎韓文公愈錄其表狀八首書啓狀四十四首序二十八首記傳十二首原論議十首辯解說頌雜著二十二首碑及墓誌碣銘四十首哀辭祭文行狀八首釐為十六卷昌黎之

奇於碑誌尤爲巉削予竊疑其於太史遷之旨或屬一間以其盛氣掐抉幅尺峻而韻折少也書記序辯解及他雜著公所獨倡門户譬則達磨西來獨開禪宗矣歸安鹿門茅坤題

昌黎集敍說

宋景文公云柳柳州爲文或取前人陳語用之不及韓吏部卓然不丐於古而一出諸巳

蘇明允上歐陽書云孟子之文語約而意深不爲巉刻斬絶之言而其鋒不可犯韓子之文如長江大河渾浩流轉魚黿蛟龍萬怪遑惑而抑絶蔽掩不使自露而人望見其淵然之光蒼然之色亦自畏避不敢直視

東坡云杜詩韓文顔書左史皆集大成也唐之古文自韓愈始其後學韓而不至者爲皇甫湜學皇甫湜而不至者爲孫樵自樵以下無足觀矣

山谷與王觀復書云杜子美到夔州後詩韓退之自潮州還潮後文章皆不煩繩削而自合矣又云老杜作詩退之作文無一字無來歷盖後人讀書少故謂韓杜

自作此語耳又讀洪駒父云諸文皆好但少古人繩墨耳可更熟司馬子長韓退之文章

秦少游云探道德之理述性命之情發天人之奧明死生之變此論理之文如列禦寇莊周之作是也别黑白陰陽要其歸宿决其嫌疑此論事之文如蘇秦張儀之所作是也考同異次舊聞不虛美不隱惡人以爲實錄此敘事之文如司馬卿班固之所作是也原本山川極命草木比物屬事駭耳目變心意此託詞之文如屈原宋玉之所作是也鈎莊列之微挾蘇張之辯摭遷固之實獵屈宋之英本之以詩書折之以孔氏此成體之文如韓愈之所作是也盖前之作者多矣而莫有備於愈後之作者亦多矣而無以加於愈故曰總而論之未有如韓愈者也

陳後山曰杜之詩法韓之文法也詩文各有
體韓以文爲詩杜以詩爲文故不工耳
李方叔云東坡教人讀戰國策學說利害讀
賈誼晁錯趙充國章疏學論事讀莊子
學論理性又須熟讀論語孟子檀弓要
志趣正當讀韓柳令記得數百篇知作
文體面

韓文目錄

韓文目錄

第一卷

第二卷

第三卷

第四卷

再與鄂州柳中丞書
與李祕論小功不稅書
與馮宿論文書
答劉正夫書
答李翊書

第五卷

第六卷

第九卷

第十卷

釋言
貓相乳
守戒
對禹問
第十一卷
處州孔子廟碑
南海神廟碑
黃陵廟碑
衢州徐偃王廟碑

曹成王碑
清邊郡王楊燕奇碑
平淮西碑
第十二卷
烏氏廟碑銘
魏博節度觀察使沂國公先廟碑銘
柳州羅池廟碑
唐故相權國公墓碑
梁陽鄭公神道碑

第十三卷

第十四卷

太原王公神道碑銘
贈太尉許國公神道碑銘
唐故中散大夫少府監胡良公神道碑

第十三卷

尚書左僕射右龍武軍統軍劉公墓誌銘
鳳翔隴州節度使李公墓誌銘
太原王公墓誌銘
唐故昭武校尉守左金吾衛將軍李公墓誌銘

唐故朝散大夫商州刺史除名徙封州董府君墓誌銘
唐故朝散大夫越州刺史薛公墓誌銘
唐故江西觀察使韋公墓誌銘

第十四卷

唐故監察御史衛府君墓誌銘
尚書左丞孔公墓誌銘
集賢院校理石君墓誌銘
尚書庫部郎中鄭君墓誌銘

第十五卷

第十六卷

目錄畢

韓文公文抄卷之一

進撰平淮西碑文表

不獨碑文冠當時而表亦壯

臣某言伏奉正月十四日勑牒以收復淮西羣臣請刻石紀功明示天下爲將來法式陛下推勞臣下允其志願使臣撰平淮西碑文者聞命震駭心識顛倒非其所任爲愧爲恐經涉旬月不敢措手竊惟自古神聖之君既立殊功異德卓絶之跡必有奇能博辯之士爲時而生持簡操筆從而寫之各有品章條貫

然後帝王之美巍巍煌煌充滿天地其載於書則堯舜二典夏之禹貢殷之盤庚周之五誥於詩則玄鳥常發歸美殷宗淸廟臣工小大二雅周王是歌辭事相稱善幷美具號以爲經列之學官置師弟子讀而講之從始至今莫敢指斥嚮使撰次不得其人文字曖昧雖有美實其誰觀之辭迹俱亡善惡惟一然則兹事至大不可輕以屬人伏惟唐至陛下再登太平剗刮羣姦掃灑疆土天之所覆莫不賓順然而淮西之功尤爲俊偉碑石所刻動流億年必得作者然後

可盡能事今詞學之英所在麻〔疑作森〕列儒宗文師磊落相望外之則宰相公卿郎官博士内之則翰林禁密游談侍從之臣不可一二遽數召而使之無有不可至於臣者自知最爲淺陋頑貪恩待趨以就事叢雜乖戾律呂失次乾坤之容日月之光知其不可繪畫强顔爲之以塞詔旨罪當誅死其碑文今已撰成謹錄封進無任慚羞戰怖之至

錢豐寰曰憨憨五大段不求奇而文自佳

論佛骨表

韓公以天子迎佛特以祈壽護國為心故其議論只以福田上立說無一字論佛宗旨

臣某言伏以佛者夷狄之一法耳自後漢時流入中國上古未嘗有也昔者黃帝在位百年年百一十歲少昊在位八十年年百歲顓頊在位七十九年年九十八歲帝嚳在位七十年年百五歲帝堯在位九十八年年百一十八歲帝舜及禹年皆百歲此時天下太平百姓安樂壽考然而中國未有佛也其後殷湯亦年百歲湯孫太戊在位七十五年武丁在位五十九年書史不言其年壽所極推其年數蓋亦俱不減百歲周文王年九十七歲武王年九十三歲穆王在位百年此時佛法亦未入中國非因事佛而致然也漢明帝時始有佛法明帝在位纔十八年耳其後亂亡相繼運祚不長宋齊梁陳元魏已下事佛漸謹年代尤促惟梁武帝在位四十八年前後三度捨身施佛宗廟之祭不用牲牢晝日一食止於菜果其後竟為侯景所逼餓死臺城國亦尋滅事佛求福乃更得

不事佛如此

以一意

作二層極波瀾

虛

事佛如此

議論痛快而近於顛

錢豐叟曰寓貶于褒

婉曲回護

極論事佛之弊

禍由此觀之佛不足事亦可知矣高祖始受隋禪則議除之當時羣臣材識不遠不能深知先王之道古今之宜推闡聖明以救斯弊其事遂止臣常恨焉伏惟睿聖文武皇帝陛下神聖英武數千百年已來未有倫比即位之初即不許度人爲僧尼道士又不許創立寺觀臣常以爲高祖之志必行於陛下之手今縱未能即行豈可恣之轉令盛也今聞陛下令羣僧迎佛骨於鳳翔御樓以觀舁入大內又令諸寺遞迎供養臣雖至愚必知陛下不惑於佛作此崇奉以祈

福祥也直以年豐人樂狥人之心爲京都士庶設詭異之觀戲玩之具耳安有聖明若此而肯信此等事哉然百姓愚冥易惑難曉苟見陛下如此將謂眞心事佛皆云天子大聖猶一心敬信百姓何人豈合更惜身命焚頂燒指百十爲群解衣散錢自朝至暮轉相倣效惟恐後時老少奔波棄其業次若不即加禁遏更歷諸寺必有斷臂臠身以爲供養者傷風敗俗傳笑四方非細事也夫佛本夷狄之人與中國言語不通衣服殊製口不言先王之法言身不服先王之

借虛情作實景

祖法

不了

曲

又起

言法而正

法服不知君臣之義父子之情假如其身至今尚在奉其國命來朝京師陛下容而接之不過宣政一見禮賓一設賜衣一襲衛而出之於境不令惑衆也況其身死巳久枯朽之骨凶穢之餘豈宜令入宮禁孔子曰敬鬼神而遠之古之諸侯行弔於其國尚令巫祝先以桃茢祓除不祥然後進弔（又翻一意）今無故取朽穢之物親臨觀之巫祝不先桃茢不用群臣不言其非御史不舉其失臣實恥之乞以此骨付之有司投諸水火永絶根本斷天下之疑絶後代之惑使天下之人

錢豊寰曰昌言剴論生色凜然

知大聖人之所作爲出於尋常萬萬也豈不盛哉豈不快哉（安頓塞他後路）佛如有靈能作禍祟凡有殃咎宜加臣身上天鑒臨臣不怨悔無任感激懇悃之至謹奉表以聞

林次崖曰文字平淡如布帛菽粟有關世教

潮州刺史謝上表

昌黎遭患憂讒情哀詞迫

臣以狂妄戇愚不識禮度上表陳佛骨事言涉不敬正名定罪萬死猶輕陛下哀臣愚忠恕臣狂直謂臣言雖可罪心亦無他特屈刑章以臣爲潮州刺史既免刑誅又獲祿食聖恩弘大天地莫量破腦刳心豈足爲謝臣某誠惶誠恐頓首頓首臣以正月十四日蒙恩除潮州刺史即日奔馳上道經涉嶺海水陸萬里以今月二十五日到州上訖與官吏百姓等相見

此一段得明天子遣重臣刺州郡体

具言朝廷治平天子神聖威武慈仁子養億兆人庶無有親疎遠邇雖在萬里之外嶺海之陬待之一如畿甸之間輦轂之下有善必聞有惡必見早朝晚罷兢兢業業惟恐四海之內天地之中一物不得其所故遣刺史面問百姓疾苦苟有不便得以上陳國家憲章完具爲治日久守令承奉詔條違犯者鮮雖在蠻荒無不安泰聞臣所稱聖德惟知鼓舞讙呼不勞施爲坐以無事臣某誠惶誠恐頓首頓首臣所領州在廣府極東界上去廣府雖云纔二千里然來往動

皆經月過海口下惡水濤瀧壯猛難計程期颶風鰐魚患禍不測州南近界漲海連天毒霧瘴氛日夕發作臣少多病年纔五十髮白齒落理不久長加以罪犯至重所處又極遠惡憂惶慚悸死亡無日單立一身朝無親黨居蠻夷之地與魑魅爲群苟非陛下哀而念之誰肯爲臣言者臣受性愚陋人事多所不通惟酷好學問文章未嘗一日暫廢實爲時輩所見推許臣於當時之文亦未有過人者至於論述陛下功德與詩書相表裏作爲歌詩薦之郊廟紀泰山之封

鏤白玉之牒鋪張對天之閎休揚厲無前之偉蹟編之乎詩書之策而無愧措之乎天地之間而無虧雖使古人復生臣亦未肯多讓伏以大唐受命有天下四海之內莫不臣妾南北東西地各萬里自天寶之後政治少懈文致未優武剋不剛孽臣姦隸蠹居棊處搖毒自防外順内悖父死子代以祖以孫如古諸侯自擅其地不貢不朝六七十年四聖傳序以至陛下陛下即位以來躬親聽斷旋乾轉坤關機闔開雷厲風飛日月清照天戈所麾莫不寧順大宇之下生

息理極高祖創制天下其功大矣而治未太平也太
宗太平矣而大功所立咸在高祖之代非如陛下承
天寶之後接因循之餘六七十年之外赫然興起南
面指麾而致此巍巍之治功也宜定樂章以告神明
東巡泰山奏功皇天具著顯庸明示得意使永永年
代服我成烈當此之際所謂千載一時不可逢之嘉
會而臣負罪嬰釁自拘海島戚戚嗟嗟日與死迫曾
不得奏薄伎於從官之內隷御之閒窮思畢精以贖
罪過懷痛窮天死不閉目瞻望宸極魂神飛去伏惟

皇帝陛下天地父母哀而憐之無任感恩戀闕慚惶
懇迫之至謹附表陳謝以聞

論捕賊行賞表

識達事體文而典刑

臣伏見六月八日勑以狂賊傷害宰臣武元衡擒捕未獲陛下悲傷震悼形於寢食特降詔書明立條格云有能捉獲賊者賜錢萬貫仍加超授今下手賊等四分之內已得其三其餘兩人葢不足計根尋蹤跡知自承宗再降明詔絕其朝請又與王士則士平等官八日之制無不行者獨有賞錢尚未賜給羣情疑惑未測聖心聞初載錢置市之日市中觀者日數萬人巡繞

瞻視咨嗟歎息旣去復來以至日暮百姓小人重財輕義不能深達事體但見不給其賞便以爲朝廷愛惜此錢不守言信自近傳遠無有辯明且出賞所以求賊今賊已誅斬若無人捉獲國家何因得此賊而正刑法也承宗何故而賜誅絕也士則士平何故與美官也三事旣因獲賊獲賊必有其人不給賞錢實亦難曉假如聖心獨有所見審知不合加賞其如天下百姓及後代久遠之人哉況今元濟承宗尚未擒滅兩河之地太半未收隴右河西皆沒戎狄所宜大

明約束使信在言前號令指麾以圖功利況自陛下卽位已來繼有否績斬楊惠琳收夏州斬劉闢收劒南東西川斬李錡收江東縛盧從史收澤潞等五州威德所加兵不汙刄收魏博等六州致張茂昭張愔收易定徐泗濠等五州創業已來列聖功德未有能高於陛下者可謂赫赫巍巍光照前後矣此由天授陛下神聖英武之德爲巨唐中興之君宗廟神靈所共祐助勉强不已守之以信則故地不足收而太平不難致如乘快馬行平路遲速進退自由其心有所

欲往無不可者於此之時特宜示人以信孔子欲存信去食人非食不生尚欲捨生以存信況可無故而輕棄也昔秦孝公用商鞅爲相欲富國强兵行令於國恐人不信立三丈之木於市南門募人有能徙置北門者與五十金有一人徙之輒與五十金秦人以君言爲必信法令大行國富兵强無敵天下三丈之木非難徙也徙之非有功也孝公輒與之金者所以示其言之必信也昔周成王尚小與其弟叔虞爲戲削桐葉爲珪曰以晉封汝其臣史佚因請擇日立叔

虞爲侯。成王曰。吾與之戲耳。史佚曰。天子無戲言。言之則史書之。禮成之。樂歌之。於是遂封叔虞於晉。昔漢高祖出黃金四萬觔與陳平。恣其所爲。不問出入。令謀項羽。平用金間楚。數年之間。漢得天下。論者皆言漢高祖深達於利。能以金四萬觔致得天下。以此觀之。自古以來。未有不信其言而能有大功者。亦未有不費少財而能收大利者也。臣於告賊之人。本無恩義。彼雖獲賞。了不關臣。所以區區盡言不避煩黷者。欲令陛下之信行於天下也。伏望恕臣愚陋僭惷之罪。而收其懇款誠至之心。天下之幸。非臣之幸也。

謹奉表以聞。

復讐狀

以經術斷律當與子厚文叅看

右伏奉今月五日敕復讐據禮經則義不同天徵法令則殺人者死禮法二事皆王教之端有此異同必資論辯宜令都省集議聞奏者朝議郎行尚書職方員外郎上騎都尉韓愈議曰伏以子復父讐見於春秋見於禮記又見周官又見諸子史不可勝數未有非而罪之者也最宜詳於律而律無其條非闕文也蓋以為不許復讐則傷孝子之心而乖先王之訓許

復讐則人將倚法專殺無以禁止其端矣夫律雖本於聖人然執而行之者有司也經之所明者制有司者也丁寧其義於經而深沒其文於律者其意將使法吏一斷於法而經術之士得引經而議也周官曰凡殺人而義者令勿讐讐之則死義宜也明殺人而不得其宜者子得復讐也此百姓之相讐者也公羊傳曰父不受誅子復讐可也不受誅者罪不當誅也誅者上施於下之辭非百姓之相殺者也又周官曰凡報仇讐者書於士殺之無罪言將復讐必先言於

依舊無下手處只合如此

官則無罪也今陛下垂意典章思立定制惜有司之守憐孝子之心示不自專訪議羣下臣愚以爲復讐之名雖同而其事各異或百姓相讐如周官所稱可議於今者或爲官所誅如公羊所稱不可行於今者又周官所稱將復讐先告於士則無罪者若孤稚羸弱抱微志而伺敵人之便恐不能自言於官未可以爲斷於今也然則殺之與赦不可一例宜定其制曰凡有復父讐者事發具其事申尚書省尚書省集議奏聞酌其宜而處之則經律無失其指矣謹議

論今年權停舉選狀

議論博大而氣亦昌

右臣伏見今月十日勑今年諸色舉選宜權停者道路相傳皆云以歲之旱陛下憐閔京師之人慮其乏食故權停舉選以絕其來者所以省費而足食也臣伏思之竊以爲十口之家益之以一二人於食未有所費今京師之人不啻百萬都計舉者不過五七千人并其僮僕畜馬不當京師百萬分之一以十口之家計之誠未爲有所損益又今年雖旱去歲大豐商

賈之家必有儲蓄舉選者皆齎持資用以有易無未見其弊今若暫停舉選或恐所害實深一則遠近驚惶二則人士失業臣聞古之求雨之詞曰人失職歟然則人之失職足以致旱今緣旱而停舉選是使人失職而召災也臣又聞君者陽也臣者陰也獨陽爲旱獨陰爲水今者陛下聖明在上雖堯舜無以加之而羣臣之賢不及於古又不能盡心於國與陛下同心助陛下爲理有君無臣是以久旱以臣之愚以爲宜求純信之士骨鯁之臣憂國如家忘身奉上者超

其爵位置在左右如殷高宗之用傅說周文王之舉太公齊桓公之拔甯戚漢武帝之取公孫弘清閑之餘時賜召問必能輔宣王化銷殄旱災臣雖非朝官月受俸錢歲受祿粟苟有所知不敢不言

論淮西事宜狀

始余慕昌黎為文詞或特疑其馬遷劉向以下一文士而已及讀所論淮西事宜並鑿鑿中名實可當施行其經畧措置與宋之韓范冨歐亦略相當特韓范諸君幸而遇則聲施昌黎未幾即為讒搆所坐不遇則摧悲乎豈非士之幸不幸由命哉

右臣伏以淮西三州之地自少陽疾病去年春夏已來圖為今日之事有職位者勞於計慮撫循奉所役

者修其器械防守金帛糧畜耗於賞給執兵之卒四向侵掠農夫織婦攜持幼弱餉於其後雖時侵掠小有所得力盡筋疲不償所費又聞畜馬甚多自半年已來皆上槽櫪譬如有人雖有十夫之力自朝及夕常自大呼跳躍初雖可畏其勢不久必自委頓乘其力衰三尺童子可使制其死命况以三小州殘弊困劇之餘而當天下之全力其破敗可立而待也然所未可知者在陛下斷與不斷耳夫兵不多不足以必勝必勝之師必在速戰兵多而戰不速則所費必廣

兩界之間疆埸之上日相攻劫必有殺傷近賊州縣徵役百端農夫織婦不得安業或時小遇水旱百姓愁苦當此之時則人人異議以惑陛下之聽陛下持之不堅半塗而罷傷威損費爲弊必深所以要先決於心詳度本末事至不惑然可圖功爲統帥者盡力行之於前而參謀議者盡心奉之於後內外相應其功乃成昔者殷高宗大聖之主也以天子之威伐背叛之國三年乃剋不以爲遲志在立功不計所費傳曰斷而後行鬼神避之遲疑不斷未有能成其事者

也臣謬承恩寵獲掌綸誥地親職重不同庶僚輒竭愚誠以效裨補謹條次平賊事宜一二如後

一諸道發兵或三二千人勢力單弱羈旅異鄉與賊不相諳委望風懾懼難便前進所在將帥以其客兵難處使先不存優恤待之既薄使之又苦或被分割隊伍隸屬諸頭士卒本將一朝相失心孤意怯難以有功又其本軍各須資遣道路遼遠勞費倍多士卒有征行之艱閭里懷離別之思今聞陳許安唐汝壽等州與賊界連接處村落百姓悉有兵器小小俘劫

深於練兵者

兵家之畧

皆能自防習於戰鬬識賊深淺既是土人護惜鄉里比來未有處分猶願自備衣糧共相保聚以備寇賊若令召募立可成軍若要添兵自可取足賊平之後易使歸農伏請諸道先所追到行營者悉令却牒歸本道據行營所追人額器械弓矢一物已上悉送行營充給所召募人兵數既足加之教練三數月後諸道客軍一切可罷比之徵發遠人利害懸隔

一繞逆賊州縣堡柵等各置兵馬都數雖多每處則至少又相去濶遠難相應接所以數被攻劫致有損

傷令若分爲四道每道各置三萬人擇要害地屯聚一處使有隱然之望審量事勢乘時逐利可入則四道一時俱發使其狼狽驚惶首尾不相救濟若未可入則深壁高壘以逸待勞自然不要諸處多置防備臨賊小縣可收百姓於便地作行縣以主領之使免散失

一蔡州士卒爲元濟迫脅勢不得已遂與王師交戰原其本根皆是國家百姓進退皆死誠可閔傷宜明勑諸軍使深知此意當戰鬬之際固當以盡敵爲心

此是王佐的意思

切中時弊

若形勢已窮不能爲惡者不須過有殺戮以聖德
放之使歸銷其兇悖之心貸以生全之幸自然相率
棄逆歸順
一論語曰欲速則不達見小利則大事不成比來征
討無功皆由欲其速捷有司計筭所費苟務因循小
不如意卽求休罷河北淮西等見承前事勢知國家
必不與之持久併力苦戰幸其一勝卽希冀恩赦朝
廷無至忠憂國之人不惜傷損威重因其有請便議
罷兵往日之事患皆然也臣愚以爲淮西三小州之

地元濟又甚庸愚而陛下以聖明英武之資用四海
九州之力除此小寇難易可知太山壓卵未足爲喻
一兵之勝負實在賞罰賞厚可令廉士動心罰重可
令兇人喪魄然可集事不可愛惜所費憚於行刑
一淄青恆冀兩道與蔡州氣類略同今聞討伐元濟
人情必有救助之意然皆闒弱自保無暇虛張聲勢
則必有之至於分兵出界公然爲惡亦必不敢宜特
下詔云蔡州自吳少誠已來相承爲節度使亦微有
功效少陽之歿朕亦本擬與元濟恐其年少未能理

是

制之術

兵家奉

事所以未便處置待其稍能緝綏然後許其承繼今忽自為狂勃侵掠不受朝命事不得已所以有此討伐至如淄青恒州范陽等道祖父各有功業相承命節年歲已久朕必不利其土地輕有改易各宜自安如妄自疑懼敢相扇動朕即赦元濟不問廻軍討之自然破膽不敢妄有異説以前件謹錄奏聞

黃家賊事宜狀

處分亦確

一臣去年貶嶺外刺史其州雖與黃家賊不相鄰接然見往來過客并諳知嶺外事人所說至精至熟其賊並是夷獠亦無城郭可居依山傍險自稱洞主衣服言語都不似人尋常亦各營生急則屯聚相保比緣邕管經略使多不得人德既不能綏懷威又不能臨制侵欺虜縛以致怨恨蠻夷之性易動難安遂致攻劫州縣侵暴平人或復私讎或貪小利或聚或散

終亦不能爲事近者征討本起於裴行立陽旻此兩人者本無遠慮深謀意在邀功求賞亦緣見賊未屯聚之時將謂單弱立可摧破爭獻謀計惟恐後時朝廷信之遂允其請自用兵已來已經二年前後所奏殺獲計不下一二萬人儻皆非虛賊已尋盡至今賊猶依舊足明欺罔朝廷邕容兩管因此凋弊殺傷疾患十室九空百姓怨嗟如出一口陽旻行立相繼身亡實由自邀功賞造作兵端人神共嫉以致殃咎陽旻行立事既已往今所用嚴公素者亦非撫御之才

不能別立規模依前還請攻討如此不已臣恐嶺南一道未有寧息之時

一昨者併邕容兩管爲一道深合事宜然邕州與賊逼近容州則甚懸隔其經畧使若置在邕州與賊隔江對岸兵鎮所處物力必全一則不敢輕有侵犯一則易爲逐便控制今置在容州則邕州兵馬必少賊見勢弱易生姦心伏請移經畧使於邕州其容州但置刺史實爲至便

逼賊

壘

一比者所發諸道南討兵馬例皆不諳山川不服水

募土兵之着

土遠鄉覊旅疾疫殺傷臣自南來見說江西所發共四百人曾未一年其所存者數不滿百岳鄂所發都三百人其所存者四分纔一續添續死每發倍難若令於邕容側近召募添置千人便割諸道見供行營人數糧賜均融充給所費既不增加而兵士又皆便習長有守備不同客軍守則有威攻則有利

一自南討已來賊徒亦甚傷損察其情理厭苦必深大抵嶺南人稀地廣賊之所處又更荒僻假如盡殺其人盡得其地在於國計不爲有益容貸羇縻比之

南夷戀巢穴須撫勦兼施不可恣殺以壞地方

禽獸來則捍禦去則不追亦未虧損朝廷事勢以臣之愚若因改元大慶赦其罪戾遣一郎官御史親往宣諭必望風降伏讙呼聽命仍爲擇選有材用威信諳嶺南事者爲經畧使處理得宜自然永無侵叛之事。

錢豊寰曰文勢華力俱高

韓文公文抄卷之二

上張僕射書

申情之文故宜於圓暢反復

九月一日愈再拜受牒之明日在使院中有小吏持院中故事節目十餘事來示愈其中不可者有自九月至明年二月之終皆晨入夜歸非有疾病事故輒不許出當時以初受命不敢言古人有言曰人各有能有不能若此者非愈之所能也抑而行之必發狂疾上無以承事于公忘其將所以報德者下無以自

立喪失其所以爲心夫如是則安得而不言凡執事之擇於愈者非爲其能晨入夜歸也必將有以取之

纔是立脚處

就身㴠入

苟有以取之雖不晨入而夜歸其所取者猶在也下之事上不一其事上之使下不一其事量力而任之度才而處之其所不能不強使爲是故爲下者不獲罪於上爲上者不得怨於下矣孟子有云今之諸侯無大相過者以其皆好臣其所教而不好臣其所受教今之時與孟子之時又加遠矣皆好其聞命而奔走者不好其直已而行道者聞命而奔走者好利者

李東陽曰擲出此十六字正與晨入夜歸相反

也直巳而行道者好義者也未有好利而愛其君者未有好義而忘其君者今之王公大人惟執事可以聞此言惟愈於執事也可以此言進愈嘗幸於執事其所從舊矣若寬假之使不失其性加待之使足以爲名寅而入盡辰而退申而入終酉而退率以爲常亦不廢事天下之人聞執事之於愈如是也必皆曰執事之好士也如此執事之待士以禮如此執事之使人不枉其性而能有容如此執事之欲成人之名如此執事之厚於故舊如此又將曰韓愈之識其所

三段文勢如珠走盤

依歸也如此韓愈之不諂屈於富貴之人如此韓愈之賢能使其主待之以禮如此則死於執事之門無悔也若使隨行而入逐隊而趍言不敢盡其誠道有所屈於巳天下之人聞執事之於愈如此皆曰執事之用韓愈哀其窮收之而巳耳韓愈之事執事不以道利之而巳耳苟如是雖日受千金之賜一歲九遷其官感恩則有之矣將以稱於天下曰知巳知巳則未也伏惟哀其所不足矜其愚不錄其罪察其辭而垂仁採納焉

二意擲兩層退之每用此

錢罡叢曰譬喻利害已明只一句結歸本意

上張僕射第二書

婉而宕其詞旨與司馬相如諫獵書相參

愈再拜以擊毬事諫執事者多矣諫者不休執事不止此非爲其樂不可捨其諫不足聽故哉諫不足聽者辭不足感心也樂不可捨者患不能切身也今之言毬之害者必曰有危墮之憂有激射之虞小者傷面目大者殘形軀執事聞之若不聞者其意必曰進若習熟則無危墮之憂避能便捷則免激射之虞小何傷於面目大何累於形軀者哉愈今所言皆不在

塞後路　先

此其指要非以他事外物牽引相比也特以擊毬之間之事明之耳馬之與人情性殊異至於筋骸之相束血氣之相持安佚則適勞頓則疲者同也乘之有道步驟折中少必無疾老必後衰及以之持毬於場蕩搖其心腑振撓其骨筋氣不及出入走不及迴旋遠者三四年近者一二年無全馬矣然則毬之害於人也決矣凡五藏之繫絡甚微坐立必懸垂於胸臆之間而以之顛頓馳騁嗚呼其危哉春秋傳曰夫有尤物足以移人苟非德義則必有禍雖豈弟君子神

破衆人之說而伸己說

婉切

明所扶持然廣慮之深思之亦養壽命之一端也

不費辭

劉夷叔曰書纔數百言使人意動神悚

上兵部李侍郎書

中多自悲并以自譽

愈少鄙鈍於時事都不通曉家貧不足以自活應舉覔官凡二十年矣薄命不幸動遭讒謗進寸退尺卒無所成性本好文學因困厄悲愁無所告語遂得究窮於經傳史記百家之説沈潛乎訓義反復乎句讀礱磨乎事業而奮發乎文章凡自唐虞已來編簡所存大之爲河海高之爲山嶽明之爲日月幽之爲鬼神纖之爲珠璣華實變之爲雷霆風雨奇辭奥旨靡

不通達惟是鄙鈍不通曉於時事學成而道益窮年老而智益困私自憐悼悔其初心髮禿齒豁不見知已夫牛角之歌辭鄙而義拙堂下之言不書於傳記齊桓舉以相國叔向攜手以上然則非言之難爲聽而識之者難遇也伏以閤下内仁而外義行高而德鉅尚賢而與能哀窮而悼屈自江而西既化而行矣今者入守内職爲朝廷大臣當天子新即位汲汲於理化之日出言舉事宜必施設既有聽之之明又有振之之力甯戚之歌鬷明之言不發於左右則後而

失其時矣謹獻舊文一卷扶樹教道有所明白南行詩一卷舒憂娱悲雜以瓌怪之言時俗之好所以諷於口而聽於耳也如賜覽觀亦有可采干黷嚴尊伏增惶恐

錢豐寰曰莊重典雅冠冕珮玉之文

鄧州北寄上襄陽于相公書

似譽而昌

伏蒙示文武順聖樂辭天保樂詩讀蔡琰胡笳辭詩移族從并與京兆書自幕府至鄧之北境凡五百餘里自庚子至甲辰凡五日手披目視口詠其言心惟其義且恐且懼忽若有忘不知鞍馬之勤道途之遠也夫澗谷之水深不過咫尺丘垤之山高不能踰尋丈人則狎而翫之及至臨泰山之懸崖窺巨海之驚瀾莫不戰掉悼慄眩惑而自失所觀變於前所守易

錢豐寰曰此轉更婉宕

於內亦其理宜也閤下負超卓之奇材蓄雄剛之俊德渾然天成無有畔岸而又貴窮乎公相感動乎區極天子之毘諸侯之師故其文章言語與事相侔憚赫若雷霆浩汗若河漢正聲諧韶濩勁氣沮金石豐而不餘一言約而不失一辭其事信其理切孔子之言曰有德者必有言信乎其有德且有言也楊子雲曰商書灝灝爾周書噩噩爾信乎其能灝灝而且噩噩也昔者齊君行而失道管子請釋老馬而隨之樊遲請學稼孔子使問之老農夫馬之智不賢於夷吾

農之能。不聖於尼父。然且云爾者。聖賢之能多。農馬之知專故也。今愈雖愚且賤。其從事於文。實專且久。則其贊王公之能而稱大君子之美。不爲僭越也。伏惟詳察。

錢豐稾曰平衍直敘布帛菽粟之文

上宰相書

引經術似劉向所乏者西漢風韻耳

正月二十七日前鄉貢進士韓愈謹伏光範門下再拜獻書相公閣下詩之序曰菁菁者莪樂育材也君子能長育人材則天下喜樂之矣其詩曰菁菁者莪在彼中阿既見君子樂且有儀說者曰菁菁者盛也莪微草也阿大陵也言君子之長育人材若大陵之長育微草能使之菁菁然盛也既見君子樂且有儀云者天下美之之辭也其三章曰既見君子錫我百

朋說者曰百朋多之之辭也言君子既長育人材又當爵命之賜之厚祿以寵貴之云爾其卒章曰汎汎楊舟載沈載浮既見君子我心則休說者曰載載也沈浮者物也言君子之於人才無所不取若舟之於物浮沈皆載之云爾既見君子我心則休云者言若此則天下之心美之也君子之於人也既長育之又當爵命寵貴之而於其才無所遺焉孟子曰君子有三樂王天下不與存焉其一曰樂得天下之英才而教育之此皆聖人賢士之所極言至論古今之所宜

錢豐叢曰連用四箇抑又作轉語中間鋪叙錯落

法者也然則孰能長育天下之人材將非吾君與吾相乎孰能教育天下之英才將非吾君與吾相乎幸今天下無事小大之官各守其職錢穀甲兵之問不至於廟堂論道經邦之暇捨此宜無大者焉今有人生二十八年矣名不著於農工商賈之版其業則讀書著文歌頌堯舜之道雞鳴而起孜孜焉亦不爲利其所讀皆聖人之書楊墨釋老之學無所入於其心其所著皆約六經之旨而成文抑邪與正辨時俗之所惑居窮守約亦時有感激怨懟奇怪之辭以求知

於天下亦不悖於教化妖淫諛佞譸張之說無所出於其中四舉於禮部乃一得三選於吏部卒無成九品之位其可望一畝之宮其可懷遑遑乎四海無所歸恤恤乎饑不得食寒不得衣濱於死而益固得其所者爭笑之忽將棄其舊而新是圖求老農老圃而爲師悼本志之變化中夜涕泗交頤雖不足當詩人孟子之謂抑長育之使成材其亦可矣教育之使成才其亦可矣抑又聞古之君子相其君也一夫不得其所若已推而內之溝中今有人生七年而學聖人

之道以修其身積二十年不得已一朝而毀之是亦不獲其所矣伏念今有仁人在上位若不往告之而遂行是果於自棄而不以古之君子之道待吾相也其可乎寧往告焉若不得志則命也其亦行矣洪範曰凡厥庶民有猷有爲有守汝則念之不協于極不罹于咎皇則受之而康而色曰予攸好德汝則錫之福是皆與善之辭也抑又聞古之人有自進者而君子不逆之矣曰予攸好德汝則錫之福之謂也抑又聞上之設官制祿必求其人而授之者非苟慕其才

而富貴其身也蓋將用其能理不能用其明理不明者耳下之修己立誠必求其位而居之者非苟沒於利而榮於名也蓋將推己之所餘以濟其不足者耳然則上之於求人下之於求位交相求而一其致焉耳苟以是而爲心則上之道不必難其下下之道不必難其上可舉而舉焉不必讓其自舉也可進而進焉不必廉於自進也抑又聞上之化下得其道則勸賞不必徧加乎天下而天下從焉因人之所欲爲而遂推之之謂也今天下不由吏部而仕進者幾希矣

主上感傷山林之士有逸遺者屢詔內外之臣旁求於四海而其至者盖闕焉豈其無人乎哉亦見國家不以非常之道禮之而不來耳彼之處隱就閒者亦人耳其耳目鼻口之所欲其心之所樂其體之所安豈有異於人乎哉今所以惡衣食窮體膚麋鹿之與處猨狖之與居固自以其身不能與時從順俯仰故甘心自絕而不悔焉而方聞國家之仕進者必舉於州縣然後升於禮部吏部試之以繡繪雕琢之文考之以聲勢之逆順章句之短長中其程式者然後得

從下士之列雖有化俗之方安邊之畫不繇是而稍進萬不有一得焉彼惟恐入山之不深入林之不密其影響昧昧惟恐聞於人也今若聞有以書進宰相而求仕者而宰相不辱焉而薦之天子而爵命之而布其書於四方枯槁沈溺魁閎寬通之士必且洋洋焉動其心峩峩焉纓其冠于于焉而來矣此所謂勸賞不必徧加乎天下而天下從焉者也因人之所欲爲而遂推之之謂者也（揔收本劉向）伏惟覽詩書孟子之所指念育才錫福之所以考古之君子相其君之道而忘自

進自舉之罪思設官制祿之故以誘致山林逸遺之士庶天下之行道者知所歸焉小子不敢自幸其嘗所著文輒采其可者若干首錄在異卷冀辱賜觀焉干瀆尊嚴伏地待罪愈再拜

錢豐寰曰起伏操縱若神

後十九日復上書

所見似悲感而文則宕逸可誦

二月十六日前鄉貢進士韓愈謹再拜言相公閣下向嘗書及所著文後待命凡十有九日不得命恐懼不敢逃遁不知所爲乃復敢自納於不測之誅以求畢其說而請命於左右愈聞之蹈水火者之求免於人也不惟其父兄子弟之慈愛然後呼而望之也將有介於其側者雖其所憎怨苟不至乎欲其死者則將大其聲疾呼而望其仁之也彼介於其側者聞其

聲而見其事不惟其父兄子弟之慈愛然後往而全之也雖有所憎怨苟不至乎欲其死者則將狂奔盡氣濡手足焦毛髮救之而不辭也若是者何哉其勢誠急而其情誠可悲也愈之彊學力行有年矣愚不惟道之險夷行且不息以蹈於窮餓之水火其既危且亟矣大其聲而疾呼矣閣下其亦聞而見之矣其將往而全之歟抑將安而不救歟有來言於閣下者曰有觀溺於水而爇於火者有可救之道而終莫之救也閣下且以爲仁人乎哉不然若愈者亦君子之

一跌一精神

錢豐寰曰一句鎖住何等筆力

逐句照應血脈相貫

所宜動心者也或謂愈子言則然矣宰相則知子矣如時不可何愈竊謂之不知言者誠其材能不足當吾賢相之舉耳若所謂時者固在上位者之爲耳非天之所爲也（又自閒後門）前五六年時宰相薦聞尚有自布衣蒙抽擢者與今豈異時哉且今節度觀察使及防禦營田諸小使等尚得自舉判官無間於已仕未仕者況在宰相吾君所尊敬者而曰不可乎古之進人者或取於盜或舉於管庫今布衣雖賤猶足以方於此情隘辭慼不知所裁亦惟少垂憐焉

錢豐寰曰氣傑神王骨勁格高足稱絶唱

後廿九日復上書

議論正大勝前篇當看虛字斡旋處

三月十六日前鄉貢進士韓愈謹再拜言相公閤下愈聞周公之爲輔相其急於見賢也方一食三吐其哺方一沐三捉其髮當是時天下之賢才皆已舉用姦邪讒佞欺負之徒皆已除去四海皆已無虞九夷八蠻之在荒服之外者皆已賓貢天災時變昆蟲草木之妖皆已銷息天下之所謂禮樂刑政敎化之具皆已修理風俗皆已敦厚動植之物風雨霜露之所

霹空起

霑被者皆已得宜休徵嘉瑞麟鳳龜龍之屬皆已備至而周公以聖人之才憑叔父之親其所輔理承化之功又盡章章如是其所求進見之士豈復有賢於周公者哉不惟不賢於周公而已豈復有賢於時百執事者哉豈復有所計議能補於周公之化者哉然而周公求之如此其急惟恐耳目有所不聞見思慮有所未及以負成王託周公之意不得於天下之心如周公之心設使其時輔理承化之功未盡章章如是而非聖人之才而無叔父之親則將不暇食與沐

搭上自家

伏案

一幹轉極有神力

將無作有生瀾波

矣豈特吐哺捉髮爲勤而止哉維其如是故于今頌成王之德而稱周公之功不衰今閤下爲輔相亦近耳天下之賢才豈盡舉用姦邪讒佞欺負之徒豈盡除去四海豈盡無虞九夷八蠻之在荒服之外者豈盡賓貢天災時變昆蟲草木之妖豈盡銷息天下之所謂禮樂刑政教化之具豈盡修理風俗豈盡敦厚動植之物風雨霜露之所霑被者豈盡得宜休徵嘉瑞麟鳳龜龍之屬豈盡備至其所求進見之士雖不足以希望盛德至比於百執事豈盡出其下哉其所

稱說豈盡無所補哉今雖不能如周公吐哺捉髮亦宜引而進之察其所以而去就之不宜默默而已也愈之待命四十餘日矣書再上而志不得通足三及門而閽人辭焉惟其昏愚不知逃遁故復有周公之說焉閤下其亦察之古之士三月不仕則相弔故出疆必載質然所以重於自進者以其於周不可則去之魯於魯不可則去之齊於齊不可則去之宋之鄭之秦之楚也今天下一君四海一國舍乎此則夷狄矣去父母之邦矣故士之行道者不得於朝則山林

而已矣山林者士之所獨善自養而不憂天下者之所能安也如有憂天下之心則不能矣故愈毋自進而不知愧焉書亟上足數及門而不知止焉寧獨知此而已惴惴焉惟不得出大賢之門下是懼亦惟少垂察焉瀆冒威尊惶恐無已愈再拜

樓迂齋曰以周公與當時之事反覆對說而求士之緩急居然可見